SPOON
Spirit

BLENDER

50 recettes de Catherine Madani

Photographies Françoise Nicol
Chef conseil Frédéric Vardon

KRUPS COOK BOOK

MIXER | AGITER | FRAPPER | PROPULSER

Les Éditions Culinaires

SOMMAIRE

TOUS LÉGUMES CONFONDUS
16

LAITS SECOUÉS

38

BOISSONS AGITÉES
60

5

DOUCEURS FRAPPÉES

82

DESSERTS PROPULSÉS

104

PROPOS SUR LE BLENDER

Modernité

simplicité

créativité

Trois mots clés pour décrire la cuisine d'aujourd'hui qui se veut autant la cuisine quotidienne que la cuisine des jours de fête, la cuisine de l'amitié que la cuisine de l'amour, une cuisine réussie facilement grâce au blender.

Modernité

Les fantastiques progrès de la technique ont permis de mettre à la disposition des femmes et des hommes modernes, pressés mais néanmoins gourmands et toujours désireux de séduire ou de faire plaisir à leur entourage, des appareils performants qui leur offrent la possibilité de réussir en un tournemain de délicieuses préparations, tout en leur faisant gagner de précieuses minutes.

Dans cette optique, rien de tel qu'un blender efficace pour mettre à la portée de tous non seulement des boissons d'ici et d'ailleurs, dignes des meilleurs barmans, mais aussi des soupes parfumées, des veloutés vraiment… veloutés, des potages glacés, des desserts frappés ou propulsés qui bénéficient des capacités particulières de cet appareil.

Le blender, appareil élégant mais compact, s'intègre facilement dans une cuisine. Toujours à portée de main il est prêt à servir.

L'entretien du blender

Au niveau de l'entretien, pas de souci à avoir : le couteau métal en acier inoxydable se démonte aisément pour être nettoyé et le bol passe au lave-vaisselle. Quoi de plus facile ?

9

Simplicité

Rien de plus simple qu'un blender (un bloc moteur, un bol muni d'un couvercle et un couteau métal) et si, dans l'esprit de certains, un blender est avant tout un super shaker, il est pourtant magique pour bien d'autres préparations et supprime l'emploi fastidieux du moulin à légumes.

Son bol en verre résistant aux chocs thermiques doit être d'une bonne contenance (de 1,5 litre à 1,75 litre). Il accueille facilement soupes chaudes (mais non bouillantes) et ingrédients mous ou liquides glacés.

Un doseur intégré au couvercle étanche permet de mesurer précisément les ingrédients d'un cocktail et offre la possibilité d'ajouter des ingrédients en cours de travail.

Outre le mixage parfait des soupes cuites obtenu grâce à une grande vitesse de rotation, se réalisent aussi facilement en quelques secondes : pâte à crêpes, à gaufres, à clafoutis ou même à beignets.

Un démarrage progressif de l'appareil évite les éclaboussures.

Les différents niveaux de vitesse sont à sélectionner selon les ingrédients et la texture désirée. Une touche Vari-pulse permet de moduler et d'intervenir instantanément. De plus, avec une touche spéciale Ice crush, tous les glaçons se laissent piler allègrement.

Une utilisation à la portée de tous !

Créativité

Les recettes qui vous sont proposées dans cet ouvrage ont été mises au point et testées sous l'égide de Frédéric Vardon, Chef consultant pour le groupe d'Alain Ducasse, inspirées pour certaines par l'esprit développé dans les restaurants Spoon « la transparence dans le mélange pluriculturel des cuisines du monde », de renommée internationale.

Partant de recettes traditionnelles revisitées avec talent, telles la soupe de carottes au cumin et à l'orange, le gaspacho, la piña colada douce, les douceurs de Fontainebleau au coulis de fraises, le clafoutis aux framboises, en passant par le velouté de patates douces au curry, la mise en bouche à la salade « caprese », le lait de noisette au chocolat et sa nougatine, la crème au chocolat et la crème brûlée au thé, jusqu'au lait secoué à la guimauve, la soupe de tomates aux fraises, la soupe de papaye au lait de coco et les petites crèmes à la fève tonka, si elles vous offrent bien des délices à découvrir, elles peuvent aussi stimuler votre imagination et vous amener à créer vous aussi des recettes inventives et gourmandes.

DES PRODUITS DE QUALITÉ

Ce n'est pas un secret, les véritables cuisiniers le claironnent à tous les échos, tous ceux et celles qui se piquent de bonne cuisine le savent parfaitement : la réussite n'est possible que si l'on utilise de bons produits. Et, ici, la qualité est d'autant plus primordiale que les laits secoués, les boissons agitées, bon nombre de douceurs frappées font appel à des produits crus qui ne subiront aucune transformation due à une cuisson quelconque.

Qualité, donc, qui implique un certain choix (la variété d'un fruit, la teneur en cacao d'un chocolat, une crème plus ou moins riche en matière grasse, etc.), une fraîcheur parfaite pour les fruits et les légumes, une maturité optimale et le respect des saisons qui garantit les meilleures saveurs.

Quelques précautions à prendre
pour que les produits
soient au top ● ● ●

– Une fois récoltés, **les légumes et les fruits se nourrissent de leurs propres réserves,** entraînant ainsi une dégradation du goût et de la texture. C'est pourquoi ils doivent être consommés le plus vite possible : ne les laissez pas attendre trop longtemps !

– **N'oubliez pas que les tomates mises au réfrigérateur perdent leur saveur :** gardez-les à température ambiante.

– **Pas non plus de réfrigération pour les pommes de terre et les courgettes** qui se conservent dans un endroit sombre et simplement frais mais non froid.

– **Attention au lait cru** qui doit être porté à ébullition avant sa consommation, conservé au réfrigérateur et consommé dans les 48 heures.

– Que vous les peliez ou non, **les fruits et les légumes doivent être lavés soigneusement** avant toute utilisation.

– **Consommez rapidement un jus de fruit ou de légume cru** pour éviter qu'il ne s'oxyde et perde ses qualités intrinsèques.

Le plein de vitamines

On ne le dira jamais assez, chercheurs, nutritionnistes, médecins, tout le monde s'accorde sur ce point : il faut manger des fruits et des légumes, crus et cuits, au moins cinq variétés par jour, pour rester en bonne santé en faisant le plein de vitamines et de sels minéraux.

La nouveauté étant toujours plus attrayante que le quotidien, le blender sur ce point est d'une aide précieuse, permettant d'élargir le champ des préparations : soupe de tarbais au lard fumé, velouté de champignons aux ravioles, velouté glacé de poivrons rouges rôtis, soupe de roquette aux chips de parmesan, jus d'herbes, melon à l'anisette, tzatziki à boire, gelée de fraises à l'orange, piña colada douce, soupe de tomates aux fraises, soupe de poires à la cannelle par exemple. Les fameux milk-shakes, littéralement des laits agités, avec leur multitude de parfums séduisants, sont à mettre également au hit parade du blender pour leur richesse en protéines, en calcium et en vitamines contenus dans le lait, aliment santé de premier choix.

Autant d'atouts pour faire manger aux enfants et à certains adultes réticents des fruits, des légumes et des produits laitiers qu'ils auraient tendance à bouder.

Les laits à teneur garantie en vitamines sont des laits dans lesquels les vitamines perdues au cours de la pasteurisation ou de la stérilisation ont été réinjectées, procédé qui permet de se rapprocher de la composition originelle du lait de vache.

Pour obtenir une bonne crème fouettée, utiliser de la crème liquide à 30 % de matière grasse très froide.

La présentation

Encore un point à ne pas négliger : la présentation.

Aussi délectable qu'il soit, chaque mets se doit d'être bien présenté car la dégustation commence avec les yeux avant de subir l'ultime épreuve du palais.

Alors, osez rajouter une petite touche de couleur ici, quelques petites feuilles vertes là, prenez le temps de parfaire votre œuvre avec les chips de parmesan ou les rubans de caramel, optez pour le givrage des verres avec du sucre blanc ou, mieux, de couleur (vendu en tubes de verre dans certains magasins), utilisez de jolis récipients : bols, coupelles, tasses à potage, ramequins, moules de formes variées, assiettes de couleur, verres fantaisie qui compléteront agréablement votre table, de quoi réjouir à l'avance tous vos convives.

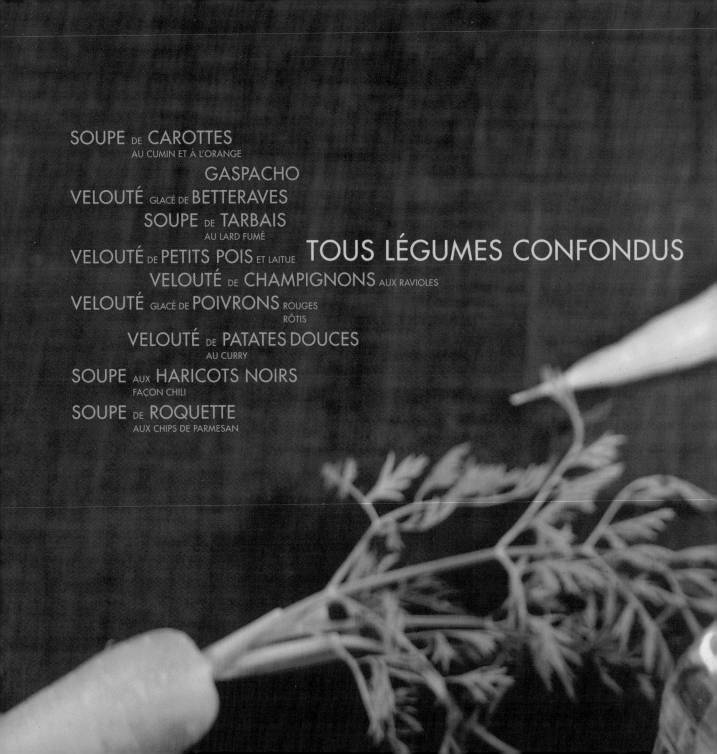

SOUPE DE **CAROTTES**
AU CUMIN ET À L'ORANGE

GASPACHO

VELOUTÉ GLACÉ DE **BETTERAVES**

SOUPE DE **TARBAIS**
AU LARD FUMÉ

VELOUTÉ DE **PETITS POIS** ET LAITUE

VELOUTÉ DE **CHAMPIGNONS** AUX RAVIOLES

VELOUTÉ GLACÉ DE **POIVRONS** ROUGES
RÔTIS

VELOUTÉ DE **PATATES DOUCES**
AU CURRY

SOUPE AUX **HARICOTS NOIRS**
FAÇON CHILI

SOUPE DE **ROQUETTE**
AUX CHIPS DE PARMESAN

TOUS LÉGUMES CONFONDUS

SOUPE DE CAROTTES
AU CUMIN ET À L'ORANGE

ingrédients

6	carottes (environ 500 g)
2	oranges
2	gousses d'ail
3 cm	de gingembre frais
1 c. à c.	de curcuma
2 c. à c.	de graines de cumin
1 petit	bouquet de coriandre
4	petits-suisses
2 c. à s.	d'huile d'olive
	sel

1. Peler les carottes, les couper en tronçons, les plonger dans de l'eau bouillante salée. Les laisser cuire 5 min, puis les égoutter.

2. Presser 2 oranges. Peler l'ail et le hacher. Peler le gingembre et le râper finement : il en faut 1 cuillerée à café.

3. Faire chauffer l'huile d'olive dans une sauteuse à fond épais et faire revenir l'ail, le curcuma, le gingembre et la moitié du cumin pendant 1 min, à feu moyen.

4. Ajouter les carottes et le jus des oranges. Couvrir d'eau à hauteur. Porter à ébullition, couvrir et laisser cuire de 10 à 15 min.

5. Faire chauffer le reste du cumin dans une poêle, à sec, pendant 1 min. Laver la coriandre, l'essorer et hacher les feuilles au couteau.

6. Verser le contenu de la sauteuse dans le bol du blender. Verrouiller le couvercle. Faire fonctionner l'appareil par pulsions quelques secondes, puis passer à la vitesse 3. S'il manque du liquide, compléter avec un peu d'eau minérale.

7. Faire éventuellement réchauffer la soupe quelques minutes. Vérifier l'assaisonnement. Répartir la soupe dans les assiettes, parsemer de cumin et de coriandre hachée. Déposer un petit-suisse au milieu. Servir sans attendre.

TOUS LÉGUMES CONFONDUS

GASPACHO

ingrédients			
750 g	de tomates	**Garniture**	
3/4	de concombre	**1**	tomate
1	poivron rouge	**1/2**	poivron rouge
3	oignons nouveaux	**1**	oignon nouveau
3	gousses d'ail	**10 cm**	de concombre
60 g	de pain au levain	**1 c. à s.**	d'huile d'olive
1 c. à s.	de vinaigre de xérès	**1 c. à c.**	de jus de citron
quelques	gouttes de Tabasco		sel, poivre
8 c. à s.	d'eau minérale non gazeuse		
3 c. à s.	d'huile d'olive		

1. Peler et épépiner les tomates, le concombre et le poivron rouge. Détailler tous ces légumes en morceaux. Laver les oignons nouveaux et les couper en lamelles fines. Peler les gousses d'ail.

2. Verser la moitié des morceaux de légumes et des gousses d'ail dans le bol du blender. Ajouter la moitié du pain en morceaux, la moitié du vinaigre, quelques gouttes de Tabasco, la moitié de l'huile d'olive et 4 cuillerées à soupe d'eau minérale. Saler légèrement. Verrouiller le couvercle. Commencer à travailler par pulsions successives, à la vitesse 3, puis passer à la vitesse 4.

3. Lorsque le mélange est homogène, verser le contenu du blender dans un saladier. Passer au blender le reste des ingrédients en procédant de la même façon. Ajouter le contenu du bol dans le saladier, mélanger, vérifier l'assaisonnement, couvrir et réserver au réfrigérateur pendant au moins 2 h.

4. Peu de temps avant de servir, préparer la garniture : laver la tomate et le demi-poivron. Les peler et les couper en petits dés. Éplucher l'oignon nouveau, hacher le bulbe et la partie tendre du vert. Peler le concombre, le couper en deux, retirer les graines et couper la pulpe en dés.

5. Réunir 2 cuillerées à café de chaque légume préparé, les mélanger avec 1 cuillerée à soupe d'huile et 1 cuillerée à café de jus de citron. Saler et poivrer.

6. Remuer le gaspacho avec une cuillère en bois ou une spatule, le répartir dans des bols et déposer 1 cuillerée à soupe de garniture sur chacun.

Attention à ne pas dépasser la limite indiquée sur le bol du blender. Il est plus prudent d'effectuer l'opération en deux fois.

TOUS LÉGUMES CONFONDUS

VELOUTÉ GLACÉ DE BETTERAVES

ingrédients

800 g	de betteraves cuites
1	oignon rouge
1	concombre
1 c. à s.	de vinaigre de cidre
15 cl	de crème fleurette
1	pomme granny-smith
15 cl	de bouillon de légumes
	sel, poivre

1. Peler les betteraves et les couper en petits morceaux. Peler le concombre, le couper en deux et retirer les graines qui se trouvent au centre avec une petite cuillère. Le couper en tronçons. Éplucher l'oignon rouge et le couper en morceaux.

2. Verser les légumes préparés dans le bol du blender. Ajouter le vinaigre de cidre et le bouillon de légumes. Verrouiller le couvercle. Faire fonctionner l'appareil à la vitesse 2, puis à la vitesse 4, jusqu'à l'obtention d'un mélange homogène. Saler, poivrer. Laisser 2 h au réfrigérateur.

3. Au moment de servir, peler la pomme et la couper en petits dés ou en lamelles. Répartir le velouté dans des verres. Ajouter la crème fleurette et décorer avec la pomme.

SOUPE DE TARBAIS
AU LARD FUMÉ

ingrédients	
250 g	de haricots tarbais
1	poireau
1 petite	côte de céleri
1	tomate
20 g	de beurre
3 branches	de thym frais
1,5 litre	de bouillon de poule
8 tranches	fines de lard fumé
	piment d'Espelette
	sel, poivre

1. Mettre les haricots dans un saladier, les couvrir largement d'eau froide et les laisser tremper de 8 h à 12 h.

2. Le lendemain, éplucher le poireau et le céleri. Les couper en lamelles, séparément. Faire revenir le poireau 2 min dans le beurre, ajouter le céleri et laisser fondre pendant 10 min.

3. Égoutter les haricots, les mettre dans un faitout avec les légumes fondus, la tomate et le thym. Verser dessus le bouillon : il doit recouvrir les haricots d'au moins 2 cm. Compléter au besoin avec de l'eau minérale. Porter doucement à ébullition, couvrir et laisser cuire pendant environ 1 h 30, jusqu'à ce que les haricots soient bien tendres.

4. À la fin de la cuisson, ôter le thym. Verser la moitié du contenu du faitout dans le bol du blender. Verrouiller le couvercle. Faire d'abord fonctionner l'appareil à la vitesse 2, puis passer à la vitesse 3. Vider le bol du blender dans une casserole. Verser le reste du contenu du faitout dans le blender et faire fonctionner l'appareil de la même façon. Vider le bol dans la casserole, vérifier l'assaisonnement et faire réchauffer la soupe à feu doux.

5. Faire chauffer une poêle antiadhésive. Y déposer le lard et le faire griller 1 min de chaque côté.

6. Répartir la soupe bien chaude dans les assiettes. Déposer 2 tranches de lard sur chacune et saupoudrer d'un peu de piment d'Espelette.

VELOUTÉ DE PETITS POIS ET LAITUE

ingrédients

2 kg	de petits pois frais
1	poireau
1 petite	laitue
1 gousse	d'ail
6 branches	de menthe
3	oignons nouveaux ou 1 oignon blanc
1 litre	de bouillon de légumes
15 cl	de crème liquide
2 c. à s.	de parmesan râpé
2 c. à s.	d'huile d'olive
	sel

1. Écosser les petits pois. Éplucher le poireau, le laver et le couper en fines lamelles. Peler les oignons, les couper également en lamelles. Peler l'ail et le hacher. Éplucher la laitue, la laver, l'essorer et la couper en lanières. Rincer la menthe et l'effeuiller.

2. Dans une grande casserole, faire revenir le poireau, les oignons et l'ail avec l'huile d'olive, jusqu'à ce que le poireau soit ramolli.

3. Verser le bouillon dans la casserole, ajouter la laitue et les petits pois. Porter à ébullition, couvrir, puis réduire le feu et laisser cuire environ 15 min jusqu'à ce que les petits pois soient tendres.

4. Retirer la casserole du feu. Ajouter les feuilles de menthe.

5. Verser le contenu de la casserole dans le bol du blender. Mettre le couvercle. Faire fonctionner l'appareil à la vitesse 4, jusqu'à l'obtention d'un mélange homogène. Vérifier l'assaisonnement.

6. Au moment de servir, ajouter la crème et le parmesan râpé.

Pour ne pas dépasser la capacité du blender, mixer la soupe en deux fois si cela est nécessaire.

Accompagner ce velouté d'un sauté de sot-l'y-laisse de volaille et girolles et des brisures de pancetta crispy.

VELOUTÉ DE **CHAMPIGNONS**
AUX RAVIOLES

ingrédients

600 g	de champignons mélangés (girolles, pleurotes, chanterelles, trompettes, cèpes...) ou un mélange surgelé
3	échalotes
3	gousses d'ail
20 g	de beurre
20 cl	de crème liquide entière
30 cl	de bouillon de volaille ou de légumes
30 cl	de lait
15 cl	d'huile pour friture
5 brins	de ciboulette
1	pincée de noix de muscade
200 g	de ravioles du Royans
	sel, poivre

1. Nettoyer les champignons. Les laver rapidement sans les laisser tremper. Ne pas laver les cèpes mais les essuyer avec du papier absorbant humide. Couper les champignons en morceaux. Éplucher et hacher l'ail et les échalotes.

2. Dans une casserole à fond épais, faire fondre le beurre avec l'ail et les échalotes pendant 3 min, à feu doux, en remuant. Mettre ensuite les champignons et les faire revenir pendant 3-4 min à feu vif. Saler, poivrer et ajouter la noix de muscade.

3. Verser le lait et le bouillon, porter à ébullition, baisser le feu et laisser frémir 10 min.

4. Verser le contenu de la casserole dans le bol du blender. Verrouiller le couvercle. Faire fonctionner l'appareil à la vitesse 3. Reverser la soupe dans la casserole et la faire réchauffer. Incorporer la crème et laisser cuire 2 min.

5. Faire chauffer l'huile dans une poêle, y mettre les ravioles. Les laisser dorer de 1 à 2 min de chaque côté.

6. Verser le velouté dans des bols ou des assiettes. Laver la ciboulette, la couper en petits tronçons et en parsemer le velouté. Déposer les ravioles sur le velouté et servir sans attendre.

Si l'ail n'est pas nouveau, couper les gousses en deux et retirer le germe qui se trouve au centre.

VELOUTÉ GLACÉ DE POIVRONS ROUGES RÔTIS

ingrédients

3	poivrons rouges
6 gousses	d'ail
10 cl	de lait entier
1 c. à c.	d'huile d'olive
2 c. à c.	de sauce soja
1 c. à s.	de vinaigre balsamique
	quelques feuilles de basilic

1. Allumer le gril du four. Poser les poivrons sur une plaque, la glisser le plus près possible du gril et laisser les poivrons environ 20 min, jusqu'à ce que la peau se boursoufle et noircisse, en les tournant régulièrement.

2. Mettre les gousses d'ail non pelées dans un petit plat à four, les arroser d'huile d'olive et verser un peu d'eau dans le fond du plat. Glisser le plat à côté des poivrons : au bout de 5 min la peau sera grillée et l'ail ramolli.

3. Retirer la peau, le pédoncule et les graines des poivrons. Les couper en morceaux. Peler l'ail.

4. Verser les poivrons, l'ail, le vinaigre, la sauce soja et le lait dans le bol du blender. Verrouiller le couvercle et faire fonctionner l'appareil à la vitesse 4, jusqu'à l'obtention d'un mélange homogène.

5. Verser le velouté dans une soupière et le laisser au moins 2 h au réfrigérateur.

Servir le velouté bien froid, garni d'une feuille de basilic.

TOUS LÉGUMES CONFONDUS

VELOUTÉ DE PATATES DOUCES
AU CURRY

ingrédients

2	patates douces (environ 800 g)
10 cl	de lait
30 g	de noix de coco râpée
20 cl	de bouillon de volaille ou de légumes
10 cl	de crème liquide entière
30 g	de noisettes hachées ou de noix de cajou
1 c. à c.	de curry
1 c. à s.	de chutney à la mangue
	le jus d'un demi-citron
	sel, poivre

1. Peler les patates douces et les détailler en petits morceaux. Les mettre dans une casserole. Couvrir d'eau, saler, laisser cuire environ 15 min, jusqu'à ce que les patates soient tendres. Les égoutter.

2. Verser le lait dans une autre casserole, ajouter la noix de coco et faire chauffer jusqu'à ce que le liquide frémisse, sans le laisser bouillir.

3. Verser le lait au coco dans le bol du blender, ajouter le bouillon, le chutney, le curry et le jus de citron. Verrouiller le couvercle et faire fonctionner l'appareil à la vitesse 3 pour obtenir un mélange homogène. Ajouter alors les patates douces et passer à la vitesse 4. Vérifier l'assaisonnement.

4. Au moment de servir, faire réchauffer la soupe, la répartir dans des assiettes, ajouter un nuage de crème liquide et parsemer de noisettes hachées.

SOUPE AUX HARICOTS NOIRS
FAÇON CHILI

ingrédients

250 g	de haricots noirs	**1 c. à c.**	de cumin en poudre
300 g	de bifteck haché	**100 g**	de cheddar ou de mimolette
2	oignons		
2 gousses	d'ail	**2 c. à s.**	de crème fraîche épaisse
2 c. à c.	d'épices à chili	**2 c. à s.**	d'huile
1/2 boîte	de tomates pelées		sel
100 g	de tomates séchées à l'huile		

1. Mettre les haricots dans un saladier, les couvrir largement d'eau froide et les laisser tremper de 8 h à 12 h.

2. Égoutter les haricots, les mettre dans une grande casserole, les couvrir d'eau à hauteur, porter à ébullition, couvrir la casserole, puis laisser cuire à petits frémissements pendant environ 1 h 30, jusqu'à ce que les haricots soient tendres. Saler 30 min avant la fin de la cuisson.

3. Éplucher les oignons et l'ail, les couper en lamelles. Détailler les tomates séchées en petits morceaux.

4. Faire chauffer l'huile dans une poêle et y faire revenir les oignons et l'ail. Quand ils commencent à devenir transparents, ajouter les tomates séchées et le contenu de la boîte de tomates. Saupoudrer de chili et de cumin. Laisser chauffer encore 1 min puis ajouter la viande. La faire dorer quelques minutes en remuant et en l'écrasant à la fourchette, puis laisser cuire pendant environ 20 min.

5. Verser dans le bol du blender les haricots et leur eau de cuisson, ajouter le contenu de la poêle. Verrouiller le couvercle. Faire fonctionner l'appareil par pulsions à la vitesse 2, puis passer à la vitesse 4 et mixer jusqu'à l'obtention d'une soupe épaisse.

6. Râper le fromage. Répartir la soupe entre les assiettes, ajouter 1 cuillerée à café de crème dans chacune d'elles et saupoudrer de fromage râpé.

On peut aussi présenter la viande en tartare : l'assaisonner de sel, de poivre, de Tabasco, d'oignons, de câpres et de persil hachés, la rouler en petites boulettes et la servir à côté de la soupe.

Pour ne pas dépasser la limite de remplissage du blender, mixer la soupe en deux fois.

Les petits haricots noirs, originaires d'Amérique du Sud, se trouvent dans les graineteries ou les épiceries fines.

TOUS LÉGUMES CONFONDUS

SOUPE DE ROQUETTE
AUX CHIPS DE PARMESAN

ingrédients

600 g	de pommes de terre
1	oignon
300 g	de roquette
1 litre	de bouillon de légumes
100 g	de parmesan râpé
2 c. à s.	d'huile d'olive
	sel, poivre

1. Éplucher les pommes de terre, les laver et les couper en petits morceaux. Peler l'oignon et le couper en lamelles. Laver la roquette et l'égoutter. Préchauffer le four à 220 °C (th. 7).

2. Mettre l'huile à chauffer dans une casserole, y faire revenir l'oignon jusqu'à ce qu'il soit transparent. Ajouter ensuite les pommes de terre et le bouillon. Porter à ébullition, couvrir, puis baisser le feu et laisser cuire environ 15 min, jusqu'à ce que les pommes de terre soient tendres.

3. Ajouter les feuilles de roquette aux pommes de terre et poursuivre la cuisson 2 min. Saler et poivrer.

4. Verser le contenu de la casserole dans le bol du blender. Verrouiller le couvercle. Faire fonctionner l'appareil à la vitesse 2 par pulsions successives, puis passer à la vitesse 4, jusqu'à ce que le mélange soit homogène.

5. Couvrir la plaque du four de papier sulfurisé, déposer dessus le parmesan en 4 petits tas, les étaler très légèrement. Mettre au four et laisser cuire les chips de parmesan de 1 à 2 min. Les décoller avec une spatule métallique.

6. Faire réchauffer la soupe si cela s'avère nécessaire, la répartir entre des tasses ou des assiettes et servir avec les chips de parmesan à côté.

LASSI À LA FRAISE
ET À L'EAU DE ROSE

YAOURT AU CHEESECAKE CITRON

LAIT SECOUÉ À LA GUIMAUVE

LAIT DE COCO
À LA BANANE ET TAPIOCA

LAITS SECOUÉS

LAIT DE SOJA
AU CHOCOLAT ET AUX DEUX ORANGES

LAIT D'AMANDE
À L'ABRICOT

LAIT DE NOISETTE AU CHOCOLAT
ET SA NOUGATINE

LAIT MERINGUÉ
À LA FRAMBOISE

PETIT DÉJEUNER PROTÉINÉ

LAIT DE POULE
À LA PÊCHE

LASSI À LA FRAISE
ET À L'EAU DE ROSE

ingrédients

250 g	de fraises
4	yaourts grecs nature, au lait de brebis
3 ou 4 c. à c.	de miel
1 c. à c.	d'eau de rose
6	glaçons

1. Laver rapidement les fraises à l'eau froide, les égoutter sur du papier absorbant, puis retirer le pédoncule.

2. Mettre les glaçons dans le bol du blender. Verrouiller le couvercle. Appuyer sur la touche Ice crush pour obtenir de la glace pilée.

3. Ajouter ensuite les yaourts, le miel, les fraises et l'eau de rose. Faire fonctionner l'appareil à la vitesse 4 pour obtenir un mélange onctueux et mousseux.

4. Répartir le lassi dans des verres et servir rapidement.

Ne pas laisser tremper les fraises car elles se gorgeraient d'eau.

YAOURT AU CHEESECAKE CITRON

ingrédients

2	yaourts nature
10 cl	de crème fleurette entière bien froide
3 c. à s.	de sucre en poudre
100 g	de fromage « philadelphia cream cheese » ou « Saint-Moret »
1	citron
1/2 c. à c.	de vanille liquide
2 pincées	de noix de muscade
6	glaçons

1. Presser le citron. Filtrer le jus obtenu.

2. Mettre les glaçons dans le bol du blender. Verrouiller le couvercle et activer la touche Ice crush pour les broyer.

3. Ajouter successivement les yaourts, la crème fleurette, le fromage, le sucre, le jus de citron et la vanille. Verrouiller le couvercle. Faire fonctionner l'appareil à la vitesse 3, jusqu'à l'obtention d'un mélange onctueux.

4. Répartir le mélange dans des verres. Saupoudrer de noix de muscade et servir très frais.

Accompagner ce yaourt bien frais de spéculos ou de petits sablés et décorer avec de très fines lanières de zeste de citron.

Accompagner d'une marmelade de fruits rouges à peine sucrée.

LAITS SECOUÉS

LAIT secoué à la GUIMAUVE
(OU MARSHMALLOWS)

ingrédients

20 cl	de crème liquide
2 bandes	de guimauve ou 50 g de fraises tagada
2	yaourts
6	glaçons

Pour la décoration

1 c. à s.	de jus de citron
	sucre de couleur

1. Faire chauffer la crème liquide. Couper la guimauve en morceaux avec des ciseaux et la faire dissoudre dans la crème chaude en remuant. Laisser refroidir, filtrer, puis mettre quelques minutes au congélateur pour que le mélange soit bien froid.

2. Mettre les glaçons dans le bol du blender. Verrouiller le couvercle. Activer la touche Ice crush pour les broyer.

3. Ajouter la crème à la guimauve et les yaourts. Faire fonctionner l'appareil à la vitesse 4 jusqu'à ce que le mélange devienne onctueux.

4. Verser le jus de citron dans une soucoupe. Étaler le sucre de couleur dans une autre. Tremper le bord de chaque verre dans le jus de citron puis dans le sucre de couleur.

5. Verser le lait secoué dans les verres sans toucher au bord du verre et servir sans attendre.

LAIT DE COCO
À LA BANANE ET TAPIOCA

ingrédients

4	bananes
50 g	de sucre
60 cl	de lait de coco
40 g	de tapioca

1. Verser 50 cl de lait de coco dans une casserole. Porter à ébullition. Jeter le tapioca dans le lait de coco bouillant et faire cuire pendant environ 15 min, en remuant fréquemment, jusqu'à ce que les billes de tapioca deviennent translucides et soient gonflées. Retirer du feu et laisser tiédir.

2. Peler les bananes et les couper en morceaux. Mettre les bananes dans le bol du blender avec le sucre et 10 cl de lait de coco. Verrouiller le couvercle. Faire fonctionner l'appareil par pulsions, à la vitesse 2, pour obtenir une purée un peu liquide.

3. Verser la purée de banane dans des verres, puis ajouter le lait de coco au tapioca. Servir tiède.

LAIT DE SOJA
AU CHOCOLAT ET AUX DEUX ORANGES

50 cl	de lait de soja
150 g	de chocolat noir
100 g	de sucre en poudre
1	orange
8	bâtonnets d'écorce d'orange confite
6	glaçons

1. Casser le chocolat en morceaux, les mettre dans une jatte supportant la chaleur et les faire fondre au-dessus d'une casserole d'eau juste frémissante.

2. Verser la moitié du chocolat fondu dans le bol du blender. Ajouter la moitié du lait de soja. Verrouiller le couvercle. Faire fonctionner l'appareil à la vitesse 4. Verser ensuite par l'orifice du couvercle le reste du lait de soja et faire fonctionner à nouveau l'appareil à la vitesse 4. Réserver le lait chocolaté et rincer le bol du blender.

3. Tremper les bâtonnets d'écorce d'orange un par un dans le reste du chocolat fondu et les déposer sur une petite plaque couverte de papier sulfurisé. Laisser la plaque 15 min au réfrigérateur pour durcir le chocolat.

4. Laver l'orange, l'essuyer et prélever son zeste en fines lanières avec un couteau zesteur. Verser le sucre dans une casserole, ajouter 15 cl d'eau et remuer sans arrêt jusqu'à ce que le sucre soit dissous. Porter à ébullition. Baisser le feu, jeter les lanières de zeste dans le sirop et les laisser confire pendant 5 min. Les égoutter.

5. Au moment de servir, mettre les glaçons dans le bol du blender. Verrouiller le couvercle. Activer la touche Ice crush pour les broyer. Arrêter l'appareil, verser le lait au chocolat par l'orifice et faire fonctionner à la vitesse 4.

6. Répartir le lait au chocolat dans les verres. Décorer avec les zestes confits et servir très frais avec les orangettes.

LAIT D'AMANDE
À L'ABRICOT

ingrédients

50 cl	de lait
100 g	d'amandes en poudre
8 gros	abricots ou 12 petits (500 g)
50 g	de sucre en poudre
	quelques graines de lavande
	quelques amandes effilées
6	glaçons

1. Verser le lait, les amandes en poudre et le sucre dans une casserole. Porter doucement à ébullition, retirer du feu et laisser infuser jusqu'à refroidissement.

2. Laver les abricots, les essuyer, les dénoyauter et les couper en morceaux.

3. Filtrer le lait aux amandes à travers une passoire fine.

4. Mettre les glaçons dans le bol du blender. Verrouiller le couvercle. Activer la touche Ice crush pour les broyer. Ajouter le lait et les abricots par l'orifice du couvercle. Faire fonctionner l'appareil par pulsions successives à la vitesse 2, puis passer à la vitesse 4 pour obtenir un mélange mousseux.

5. Verser immédiatement dans des verres et décorer avec les graines de lavande et les amandes effilées.

LAIT DE **NOISETTE** AU CHOCOLAT
ET SA NOUGATINE

ingrédients

50 cl	de lait
100 g	de noisettes en poudre
100 g	de noisettes entières
50 g	de pistaches décortiquées
100 g	de chocolat à cuire
2 boules	de glace vanille
120 g	de sucre en poudre
6	glaçons

1. Faire chauffer le lait avec les noisettes en poudre jusqu'à l'ébullition. Éteindre le feu et laisser infuser jusqu'à refroidissement.

2. Casser le chocolat en morceaux, les mettre dans une jatte supportant la chaleur et les faire fondre au-dessus d'une casserole d'eau juste frémissante.

3. Filtrer le lait. Verser successivement dans le bol du blender le chocolat fondu, la moitié du lait et les 2 boules de glace. Verrouiller le couvercle. Faire fonctionner l'appareil à la vitesse 2, verser le reste du lait par l'orifice du couvercle et passer à la vitesse 4. Réserver le mélange. Rincer le bol du blender.

4. Hacher grossièrement les noisettes et les pistaches.

5. Mettre le sucre dans une petite casserole, le mouiller avec 3 cuillerées à soupe d'eau et faire chauffer jusqu'à l'obtention d'un caramel doré. Verser le caramel sur du papier sulfurisé, le parsemer avec les noisettes et les pistaches. Laisser refroidir cette nougatine à température ambiante.

6. Casser la nougatine obtenue en morceaux.

7. Au moment de servir, verser les glaçons dans le bol du blender, verrouiller le couvercle, activer la touche Ice crush pour les broyer. Verser le lait chocolaté par l'orifice du couvercle et faire fonctionner l'appareil à la vitesse 4.

8. Servir le lait de noisette sans attendre, avec les morceaux de nougatine en décoration.

LAIT MERINGUÉ
À LA FRAMBOISE

ingrédients

400 g	de lait concentré sucré (1 boîte)
25 cl	de lait
300 g	de framboises
4 petites	meringues
10	glaçons

1. Mettre les glaçons dans le bol du blender, verrouiller le couvercle et activer la touche Ice crush pour les broyer.

2. Verser les framboises, le lait et le lait concentré par l'orifice du couvercle. Faire fonctionner l'appareil quelques secondes par pulsions successives à la vitesse 3, puis passer à la vitesse 4 pour obtenir un mélange homogène.

3. Écraser grossièrement les meringues.

4. Verser le lait dans des verres, décorer avec les meringues en morceaux et servir sans attendre.

LAITS SECOUÉS

PETIT DÉJEUNER PROTÉINÉ

ingrédients

200 g	de muesli
4	yaourts nature ou à la vanille
400 g	de myrtilles
4 c. à s.	de miel

1. Vérifier que les myrtilles sont toutes équeutées et saines, les rincer à l'eau fraîche, les éponger sur du papier absorbant.

2. Mettre le muesli et 2 yaourts dans le bol du blender. Verrouiller le couvercle et faire fonctionner l'appareil quelques secondes à la vitesse 2.

3. Ajouter ensuite les myrtilles, les deux autres yaourts et le miel par l'orifice du couvercle. Faire fonctionner à la vitesse 2 par pulsions successives, puis passer à la vitesse 4 pour obtenir un mélange homogène. Servir sans attendre.

LAIT DE POULE
À LA PÊCHE

ingrédients	
4	pêches bien mûres
50 cl	de lait glacé
2	yaourts nature
3	œufs frais (bio de préférence)
3 c. à s.	de miel
1 pincée	de cannelle

1. Peler les pêches, les dénoyauter et les couper en morceaux.

2. Mettre dans le bol du blender, dans l'ordre, les pêches, le miel et les œufs. Verrouiller le couvercle. Faire fonctionner l'appareil à la vitesse 2.

3. Ajouter ensuite le lait, les yaourts et la cannelle par l'orifice du couvercle. Faire fonctionner l'appareil à la vitesse 4 pour obtenir un mélange homogène.

Servir bien frais.

LAITS SECOUÉS

JUS D'HERBES

MELON À L'ANISETTE

SODA À LA CITRONNELLE,
AU GINGEMBRE ET À L'ANANAS

BOISSONS AGITÉES

PETITE INFUSION GLACÉE PARFUMÉE

VERVEINE À LA PÊCHE

MISE EN BOUCHE À LA SALADE
« CAPRESE »

TZATZIKI À BOIRE

PIÑA COLADA DOUCE

MIX DE CERISES

PRUNEAUX AU THÉ GLACÉ

JUS D'HERBES

ingrédients

3 branches tendres de céleri
15 cl de jus de pomme
125 g de germes d'alfafa
2 branches de persil plat
1 branche de menthe
6 glaçons

1. Éplucher le céleri, le rincer et le couper en morceaux.

2. Rincer les germes d'alfafa, le persil et la menthe, les essorer dans du papier absorbant. Retirer les tiges du persil et de la menthe et hacher grossièrement les feuilles. Il faut 1 cuillerée à soupe de chaque herbe.

3. Mettre les glaçons dans le bol du blender. Verrouiller le couvercle. Activer la touche Ice crush pour les broyer.

4. Ajouter le céleri, les germes d'alfafa (en garder un peu pour la décoration), le persil, la menthe et le jus de pomme par l'orifice du couvercle. Faire fonctionner l'appareil à la vitesse 2, par pulsions successives, puis passer à la vitesse 4 pour obtenir un mélange homogène.

5. Verser le jus d'herbes dans les verres et garnir de quelques germes d'alfafa.

Ajouter un filet de citron au jus d'herbes et monter à l'huile d'olive pour former une vinaigrette qui assaisonnera une salade de coquillages ou un poisson cuit au naturel.

BOISSONS AGITÉES

MELON À L'ANISETTE

ingrédients

2	petits melons bien mûrs
2 c. à s.	de pastis ou de boisson anisée
1 bâton	de réglisse
25 cl	d'eau minérale non gazeuse
8	glaçons

1. Porter à ébullition 25 cl d'eau minérale. Couper le bâton de réglisse en deux, le déposer dans la casserole et laisser bouillir pendant 2 min. Retirer la casserole du feu et laisser infuser la réglisse jusqu'à ce que le liquide soit froid. Filtrer.

2. Couper les melons en deux, retirer les pépins et les filaments avec une cuillère à soupe. Recouper les melons en tranches, ôter la peau, puis couper la pulpe en morceaux.

3. Déposer les glaçons dans le bol du blender. Verrouiller le couvercle. Appuyer sur la touche Ice crush pour obtenir de la glace pilée.

4. Ajouter le melon, le pastis et l'infusion de réglisse. Faire fonctionner l'appareil à la vitesse 3, jusqu'à ce que le mélange soit homogène. Servir sans attendre.

Les boissons à base de fruits doivent être servies sans attendre pour éviter qu'elles ne s'oxydent au contact de l'air.

Verser cette boisson agitée sur une garniture taillée concombre, pomme, poivron, pastèque assaisonnée de sel, poivre, huile d'olive, citron et ciboulette ciselée pour obtenir une soupe croquante. Remplacer les légumes par les fruits.

SODA À LA CITRONNELLE
AU GINGEMBRE ET À L'ANANAS

ingrédients

2	citrons verts
25 cl	de jus d'ananas
3 cm	de gingembre frais
3 tiges	de citronnelle
100 g	de sucre en poudre
10	glaçons
1 l	d'eau minérale plate
50 cl	d'eau minérale gazeuse

1. Couper l'extrémité des tiges de citronnelle et retirer les couches successives pour ne garder que le cœur tendre. Couper ce cœur tendre en morceaux. Peler le gingembre et le râper finement.

2. Couper les citrons verts en deux et les presser. Verser le jus obtenu dans une casserole, ajouter le gingembre râpé, la citronnelle, le sucre et l'eau minérale plate. Porter à ébullition et laisser bouillir à feu assez vif, environ 15 min, jusqu'à ce que le liquide soit évaporé des trois quarts pour avoir 25 cl de sirop.

3. Laisser refroidir et filtrer.

4. Mettre les glaçons dans le bol du blender. Verrouiller le couvercle et appuyer sur la touche Ice crush pour obtenir de la glace pilée. Ajouter ensuite le sirop et le jus d'ananas. Faire fonctionner l'appareil à la vitesse 4.

5. Verser dans les verres autant de sirop d'ananas que d'eau gazeuse. Décorer avec des tiges de citronnelle ou des demi-rondelles de citron vert.

Conserver le rhizome de gingembre dans le tiroir à légumes du réfrigérateur.

BOISSONS AGITÉES

PETITE INFUSION GLACÉE PARFUMÉE

ingrédients	
50 cl	d'eau minérale non gazeuse
6	étoiles de badiane (anis étoilé)
1	orange
2 branches	de menthe
2 c. à s.	de miel
10	glaçons

1. Rincer l'orange, l'essuyer et prélever son zeste en lanières avec un couteau canneleur. Presser le fruit et filtrer son jus. Rincer la menthe et l'effeuiller.

2. Faire chauffer l'eau. Dès qu'elle frémit, y verser les étoiles de badiane et les lanières de zeste d'orange. Laisser frémir pendant 5 min.

3. Retirer la casserole du feu. Y verser le jus de l'orange, le miel et les feuilles de menthe. Laisser infuser jusqu'à refroidissement. Filtrer la tisane à travers une passoire fine. La laisser 30 min au réfrigérateur.

4. Mettre les glaçons dans le bol du blender. Verrouiller le couvercle et activer la touche Ice crush pour les broyer. Verser la tisane par l'orifice du couvercle et faire fonctionner l'appareil à la vitesse 4.

5. Verser la tisane dans des verres, garnir éventuellement avec quelques lanières de zeste et des feuilles de menthe. Servir bien frais.

Cette tisane pourra servir de marinade à une salade de fruits exotiques coupés en matignon (mangue, papaye, ananas, kiwi…). Ajouter un jus de citronnelle et d'hysope.

BOISSONS AGITÉES

VERVEINE À LA PÊCHE

ingrédients	
15 g	de verveine ou 3 sachets
50 cl	d'eau minérale non gazeuse
4	pêches
2 tiges	de verveine menthe fraîche
2 c. à s.	de sucre en poudre
6	glaçons

1. Faire chauffer l'eau minérale, la verser sur la verveine et laisser infuser de 8 à 10 min.

2. Peler les pêches, les dénoyauter et les couper en morceaux.

3. Filtrer la verveine et la laisser refroidir totalement.

4. Mettre les glaçons dans le bol du blender, verrouiller le couvercle et activer la touche Ice crush pour les broyer.

5. Ajouter les pêches, le sucre et un peu de tisane par l'orifice du couvercle. Faire fonctionner l'appareil à la vitesse 2, par pulsions successives, puis ajouter le reste de la verveine et passer à la vitesse 4.

6. Verser la verveine dans des verres. Rincer la verveine menthe, décorer les verres avec des petits bouquets et servir très frais.

BOISSONS AGITÉES

MISE EN BOUCHE
À LA SALADE « CAPRESE »

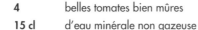

ingrédients

4	belles tomates bien mûres
15 cl	d'eau minérale non gazeuse
3 branches de basilic	
3 c. à s.	d'huile d'olive fruitée
4	mini boules de mozzarella
6	glaçons

1. Retirer la peau des tomates, ôter le pédoncule, couper les tomates en deux et retirer les pépins. Tailler la pulpe en morceaux. Rincer le basilic, réserver 4 feuilles pour la décoration et ciseler les autres.

2. Mettre les glaçons dans le bol du blender. Verrouiller le couvercle et appuyer sur la touche Ice crush pour obtenir de la glace pilée. Ajouter ensuite les tomates, l'eau minérale, le basilic et l'huile d'olive. Faire fonctionner l'appareil quelques secondes à la vitesse 3, puis 4, jusqu'à l'obtention d'un mélange homogène.

3. Verser le contenu du bol dans un récipient et laisser rafraîchir au moins 1 h au réfrigérateur.

4. Verser dans des petits verres. Déposer une mini boule de mozzarella sur chaque verre, avec une feuille de basilic.

Préférer la mozzarella au lait de bufflonne, plus savoureuse que celle au lait de vache. Les mini boules sont vendues en petites barquettes. À défaut, tailler 4 boules avec une cuillère à pommes parisiennes dans une grosse boule.

Sans mozzarella, cette mise en bouche peut accompagner une salade de tomates ou un tartare de thon épicé.

TZATZIKI À BOIRE

ingrédients	
1	concombre
2	yaourts grecs (300 g)
2 gousses	d'ail
3 branches	de menthe fraîche
1	citron
6	glaçons
	sel, poivre

1. Laver le concombre, le couper en quatre dans la longueur, retirer les graines avec une petite cuillère et détailler la pulpe en petits morceaux. Laver la menthe, retirer les tiges et hacher les feuilles : il en faut 3 cuillerées à soupe. Peler l'ail, le hacher finement ou le passer au presse-ail. Presser le citron et filtrer son jus.

2. Mettre les glaçons dans le bol du blender, verrouiller le couvercle et activer la touche Ice crush pour les broyer.

3. Ajouter ensuite, par l'orifice du couvercle, le concombre, l'ail, les yaourts, la menthe, du sel, du poivre et enfin le jus de citron. Faire fonctionner l'appareil à la vitesse 2, par pulsions successives, puis passer à la vitesse 4 pour obtenir un mélange homogène.

4. Verser le tzatziki dans des verres. Décorer de feuilles de menthe. Servir bien frais avec du pain pita.

Pour présenter ce tzatziki en « dip » à l'apéritif (avec des bâtonnets de légumes), faire la même préparation sans y mettre de glaçons.

Cette préparation pourra servir pour rafraîchir des samossas souvent épicés ou comme boisson avec un poulet tandoori.

BOISSONS AGITÉES

PIÑA COLADA DOUCE

ingrédients

1	ananas de 1 kg
5 c. à s.	de sirop de sucre
5 c. à s.	de crème de coco
le jus	de 1 citron + 1 c. à s.
10	glaçons
50 g	de noix de coco déshydratée râpée

1. Couper le plumet de l'ananas et retirer la base. Ôter la peau, en tournant tout autour du fruit, avec un grand couteau. Retirer les « yeux » avec la pointe d'un couteau économe, couper le fruit en quatre de haut en bas et supprimer la partie dure du centre. Tailler la pulpe en morceaux.

2. Mettre les glaçons dans le bol du blender. Verrouiller le couvercle. Appuyer sur la touche Ice crush pour obtenir de la glace pilée. Ajouter ensuite l'ananas, le sirop de sucre, la crème de coco et le jus de 1 citron. Faire fonctionner l'appareil par pulsions successives à la vitesse 3, puis à la vitesse 4 continue pour obtenir un mélange onctueux. Ajouter un peu d'eau minérale si la boisson n'est pas assez liquide.

3. Verser 1 cuillerée à soupe de jus de citron dans une soucoupe. Déposer la noix de coco dans une petite assiette. Tremper le tour de chaque verre dans le citron, puis dans la noix de coco.

4. Verser délicatement la boisson dans les verres, sans toucher au bord, et servir.

La crème de coco, plus épaisse et plus riche que le lait, est vendue en briquettes de 25 cl.

MIX DE CERISES

ingrédients

50 cl	de jus de canneberge (cranberry)
2 boules	de sorbet à la cerise
200 g	de cerises
6	glaçons

pour servir :

pop-corn sucré

1. Laver les cerises et les dénoyauter.

2. Mettre les glaçons dans le bol du blender. Verrouiller le couvercle et activer la touche Ice crush pour broyer les glaçons.

3. Ajouter les cerises, le sorbet à la cerise et le jus de canneberge par l'orifice du couvercle. Faire fonctionner l'appareil à la vitesse 2 par pulsions successives, puis passer à la vitesse 4 pour obtenir un mélange onctueux.

4. Verser le mix de cerises dans des verres et décorer avec du pop-corn sucré.

La canneberge est une baie rouge, appartenant à la même famille que la myrtille et l'airelle, légèrement acidulée.

Vérifier qu'il ne reste pas de noyaux, qui pourraient endommager le blender.

BOISSONS AGITÉES

PRUNEAUX AU THÉ GLACÉ

ingrédients

50 cl	d'eau minérale non gazeuse
2 sachets	de thé Earl Grey
8	pruneaux
2 c. à c.	de miel
10	glaçons

1. Faire chauffer l'eau minérale, la verser sur le thé et laisser infuser 8 min.

2. Filtrer le thé au-dessus d'une tasse. Ajouter le miel et mélanger.

3. Plonger les pruneaux dans le thé et les laisser gonfler pendant au moins 1 h.

4. Égoutter les pruneaux en conservant le thé et les dénoyauter.

5. Mettre les glaçons dans le bol du blender. Verrouiller le couvercle. Activer la touche Ice crush pour broyer les glaçons.

6. Ajouter le thé et 4 pruneaux dans le blender, par l'orifice du couvercle. Faire fonctionner l'appareil à la vitesse 4.

7. Verser le thé aux pruneaux bien frais dans des verres et garnir avec un pruneau planté sur un bâtonnet de bois.

Boisson pouvant être consommée à l'apéritif, assaisonnée à la manière d'un jus de tomate. Préparer un sel de bacon : poitrine de porc séchée mixée, fleur de sel, piment d'espelette, céleri en poudre.

COULIS DE MANGUE
ET BLANC-MANGER

GLACE INDIENNE
À LA CARDAMOME

DOUCEUR À LA MYRTILLE

BÂTONNETS GLACÉS

ORANGE ET MANGUE

BÂTONNETS GLACÉS CITRONNÉS

SOUPE DE TOMATES À LA FRAISE ET MENTHE POIVRÉE

GELÉE DE FRAISES À L'ORANGE

DOUCEUR DE FONTAINEBLEAU
AU COULIS DE CERISES

SOUPE DE POIRES
À LA CANNELLE

SOUPE DE PAPAYE
AU LAIT DE COCO

DOUCEURS FRAPPÉES

COULIS DE MANGUE
ET BLANC-MANGER

ingrédients

150 g	d'amandes en poudre
2 c. à s.	de sirop d'amandes (ou orgeat)
6 feuilles	de gélatine
110 g	de sucre en poudre
20 cl	de crème liquide entière bien froide
50 cl	de lait
1	mangue bien mûre

1. Faire tremper la gélatine 5 min dans un bol d'eau froide. Mettre au congélateur un récipient et un fouet pour battre la crème.

2. Verser le lait et les amandes en poudre dans une casserole. Porter à ébullition, retirer du feu et laisser infuser. Égoutter la gélatine, l'essorer avec les doigts et l'ajouter au lait d'amandes pendant qu'il est chaud. Mélanger. Laisser refroidir.

3. Filtrer le lait d'amandes à travers une passoire fine. Le verser dans le bol du blender ainsi que le sirop et 80 g de sucre. Verrouiller le couvercle. Faire fonctionner l'appareil à la vitesse 4.

4. Verser la crème dans le récipient glacé, la fouetter jusqu'à ce qu'elle soit bien ferme puis l'incorporer délicatement au lait froid. Répartir le mélange dans des ramequins et réserver au réfrigérateur pendant au moins 3 h.

5. Couper la chair de la mangue de chaque côté du noyau, ôter la peau et couper la chair en morceaux.

6. Mettre la mangue dans le bol du blender, propre et sec, avec 30 g de sucre. Verrouiller le couvercle. Faire fonctionner l'appareil à la vitesse 2 quelques secondes par pulsions successives, puis passer à la vitesse 3, jusqu'à l'obtention d'un coulis homogène. Réserver au frais.

7. Au moment de servir, tremper les ramequins quelques secondes dans de l'eau chaude et démouler les blancs-mangers. Servir avec le coulis.

Préparer une poêlée de matignon de mangue avec une gousse de vanille ouverte, cuisson légère afin de conserver du croquant.

GLACE INDIENNE
À LA CARDAMOME

50 cl	de lait concentré sucré
4 gousses	de cardamome
100 g	de pistaches non salées, décortiquées
60 g	d'amandes mondées (sans peau)

1. Faire griller à sec les amandes et les pistaches dans une poêle à revêtement antiadhésif. Lorsque ces fruits sont dorés, les verser dans le bol du blender.

2. Faire chauffer le lait concentré. Concasser les gousses de cardamome et sortir les graines. Les verser dans le lait. Laisser cuire de 5 à 10 min.

3. Laisser tiédir légèrement le lait, puis le verser dans le blender. Verrouiller le couvercle. Faire fonctionner l'appareil à la vitesse 2 par pulsions successives, puis passer à la vitesse 4.

4. Répartir la préparation dans des petits ramequins, les déposer dans le congélateur et laisser prendre la glace pendant 3 ou 4 h.

Sortir les glaces juste avant de les déguster car elles ne deviennent jamais très dures.

Accompagner cette glace d'une salade de menthe, cardamome, gingembre, sucre glace et huile d'olive.

DOUCEURS FRAPPÉES

DOUCEUR À LA MYRTILLE

DOUCEURS FRAPPÉES

ingrédients

40 cl	de crème liquide
400 g	de myrtilles
60 g	de sucre en poudre

1. Mettre la crème liquide au congélateur ainsi que la jatte et le fouet à utiliser, pour que le tout soit très froid.

2. Rincer les myrtilles, les éponger et retirer les petites queues éventuellement. Verser les fruits dans une casserole avec le sucre et les faire cuire une dizaine de minutes. Laisser refroidir.

3. Verser la moitié des myrtilles dans le bol du blender. Verrouiller le couvercle et faire fonctionner l'appareil à la vitesse 2 par pulsions successives pour réduire les fruits en purée.

4. Verser la crème dans la jatte froide. La fouetter, d'abord à petite vitesse puis, quand la crème commence à augmenter de volume, passer à la vitesse supérieure. Fouetter jusqu'à ce qu'elle devienne bien ferme.

5. Incorporer la purée de myrtilles et le reste des fruits à la crème fouettée, très délicatement, avec une cuillère à soupe.

6. Répartir la préparation dans des coupelles ou dans des verres et servir immédiatement.

BÂTONNETS GLACÉS
ORANGE ET MANGUE

ingrédients

2	mangues
3	oranges sanguines
40 g	de sucre en poudre
	bâtonnets plats en bois ou en plastique

1. Trancher les mangues de chaque côté du noyau plat. Retirer la peau, puis couper la pulpe en morceaux.

2. Couper les oranges en deux et les presser. Filtrer leur jus.

3. Mettre la mangue dans le bol du blender avec le sucre et la moitié du jus des oranges. Verrouiller le couvercle. Faire fonctionner l'appareil par pulsions successives à la vitesse 2, puis augmenter la vitesse pour obtenir un coulis onctueux.

4. Verser le coulis de mangue et le reste du jus des oranges dans des petits verres ou des moules à bâtonnets glacés. Laisser au moins 6 h au congélateur. Planter les bâtonnets dans les verres après environ 30 min de congélation.

5. Plonger les moules 10 secondes au plus dans de l'eau chaude pour démouler les bâtonnets glacés.

Utiliser des petits verres étroits type verres à vodka. Ne pas les remplir à plus de 1 cm du haut.

BÂTONNETS GLACÉS CITRONNÉS

ingrédients

2	citrons
100 g	de sucre glace
50 cl	d'eau gazeuse

1. Presser 2 citrons et filtrer leur jus.

2. Verser le jus des citrons dans le bol du blender. Ajouter le sucre glace. Verrouiller le couvercle. Faire fonctionner l'appareil à la vitesse 4, jusqu'à ce que le sucre soit fondu.

3. Ôter le couvercle, ajouter l'eau gazeuse, puis verser immédiatement la préparation dans des moules à bâtonnets glacés. Les placer au congélateur et laisser prendre en glace pendant au moins 6 h.

Pour démouler les bâtonnets, les plonger 10 secondes dans de l'eau chaude.

DOUCEURS FRAPPÉES

SOUPE DE **TOMATES**
À LA FRAISE ET MENTHE POIVRÉE

ingrédients

200 g	de tomates
400 g	de fraises mara des bois
50 g	de sucre en poudre
1 branche	de menthe poivrée

1. Peler les tomates, les couper en quatre et les épépiner.

2. Laver rapidement les fraises, les éponger sur du papier absorbant et ôter les pédoncules.

3. Mettre les tomates, la moitié des fraises et le sucre dans le bol du blender. Verrouiller le couvercle. Faire fonctionner l'appareil à la vitesse 2 par pulsions successives, puis passer à la vitesse 4 pour obtenir un mélange homogène. Le réserver au frais.

4. Au moment de servir, couper en deux les fraises restantes, les répartir dans les assiettes et verser la soupe dessus. Décorer avec les feuilles de menthe.

SP**O**N
Spirit

Accompagner de « fingers » de brioche perdue décorée de chips de fraise.

GELÉE DE FRAISES À L'ORANGE

ingrédients

500 g	de fraises
6-7	oranges à jus
60 g	de sucre en poudre
8 feuilles	de gélatine

1. Mettre la gélatine à tremper dans un bol d'eau froide.

2. Presser les oranges et filtrer leur jus. Il en faut 60 cl.

3. Laver les fraises, les éponger sur du papier absorbant, ôter les pédoncules.

4. Mettre les fraises dans le bol du blender avec 10 cl de jus d'orange. Verrouiller le couvercle. Faire fonctionner l'appareil à la vitesse 2.

5. Faire chauffer le reste du jus d'orange (50 cl) avec le sucre, porter à ébullition et retirer du feu. Égoutter la gélatine, l'essorer avec les doigts et l'incorporer au jus d'orange chaud. Mélanger, puis laisser tiédir.

6. Verser ce sirop d'orange dans le blender avec les fraises mixées et faire fonctionner l'appareil à la vitesse 4.

7. Répartir la préparation dans des petits moules individuels ou dans des ramequins. Laisser prendre au réfrigérateur pendant au moins 4 h.

8. Au moment de servir, tremper les ramequins 10 secondes dans de l'eau chaude et démouler les gelées sur des assiettes.

DOUCEUR DE FONTAINEBLEAU
AU COULIS DE CERISES

ingrédients

200 g	de biscuits secs style spéculos
60 g	de beurre
25 cl	de crème liquide entière
60 g	de sucre en poudre
250 g	de fromage blanc
1 c. à c.	d'extrait de vanille liquide
500 g	de cerises fraîches ou surgelées
20 g	d'amandes effilées
4	cerises au marasquin

1. Mettre au congélateur un saladier et les fouets du batteur. Faire griller les amandes dans une poêle sèche, en la secouant régulièrement.

2. Écraser les biscuits dans un mixeur ou avec un rouleau à pâtisserie et les réduire en poudre. Ajouter le beurre ramolli et bien mélanger : on obtient une pâte sèche.

3. Verser le fromage blanc, 50 g de sucre et l'extrait de vanille dans le bol du blender. Verrouiller le couvercle. Faire fonctionner l'appareil à la vitesse 3. Vider le bol dans une jatte. Rincer le bol.

4. Verser la crème liquide très froide dans le saladier froid. La fouetter jusqu'à ce qu'elle soit bien ferme. L'incorporer délicatement au fromage blanc.

5. Laver les cerises, les éponger sur du papier absorbant et les dénoyauter. Mettre les cerises dans le bol du blender avec 10 g de sucre. Verrouiller le couvercle. Faire fonctionner l'appareil à la vitesse 2 par pulsions successives, puis passer à la vitesse 4 pour obtenir un coulis.

6. Déposer dans des verres une couche de biscuit, puis le fromage blanc et finir par le coulis de cerise. Garnir avec les amandes grillées et les cerises au marasquin.

Ajouter des cerises en marmelade à peine sucrée mais très concentrée afin de donner une touche « cerise » plus forte, ajouter un filet de citron.

SOUPE DE POIRES
À LA CANNELLE

ingrédients

4	poires mûres et juteuses
1/2	citron
1/2 c. à c.	de cannelle en poudre
2 c. à s.	de sirop d'érable
4 tranches	de pain d'épice
10	glaçons

1. Peler les poires, retirer le cœur et les couper en morceaux. Presser le demi-citron et filtrer son jus.

2. Mettre les glaçons dans le bol du blender. Verrouiller le couvercle et activer la touche Ice crush pour broyer les glaçons.

3. Ajouter dans le blender les poires, le jus de citron, la cannelle et le sirop d'érable. Faire fonctionner l'appareil à la vitesse 2, par pulsions successives, puis passer à la vitesse 4 pour obtenir un mélange homogène.

4. Trancher le pain d'épice en bâtonnets de 2 cm de large, comme des mouillettes.

5. Servir ce dessert bien frais, avec les mouillettes de pain d'épice à part.

Pour changer, ne pas faire de mouillettes, émietter 2 tranches de pain d'épice et les faire dorer dans une poêle, avec 20 g de beurre, pendant 3 min. En saupoudrer la soupe.

Faire un condiment poire, miel, gingembre. Couper les poires en morceaux, les faire revenir au beurre, ajouter un peu de miel et du gingembre haché. Laisser compoter.

SOUPE DE PAPAYE
AU LAIT DE COCO

ingrédients

1	papaye
40 cl	de lait de coco
1	citron vert
40 g	de sucre en poudre
20 g	de noix de coco râpée
8	glaçons

1. Couper la papaye en deux, retirer les graines noires avec une cuillère. Ôter la peau du fruit et le couper en morceaux. Presser le citron vert et filtrer son jus.

2. Mettre les glaçons dans le bol du blender. Verrouiller le couvercle et activer la touche Ice crush pour broyer les glaçons.

3. Ajouter dans le blender les morceaux de papaye, le lait de coco, le jus de citron vert et le sucre. Faire fonctionner l'appareil à la vitesse 2 par pulsions successives, puis passer à la vitesse 4 pour obtenir un mélange onctueux.

4. Répartir la soupe dans des coupes ou dans des verres, saupoudrer de noix de coco râpée et servir ce dessert très frais.

DOUCEURS FRAPPÉES

CRÈMES BRÛLÉES AU THÉ

PETITES CRÈMES À LA FÈVE TONKA

CRÊPES PARFUMÉES

CLAFOUTIS AUX FRAMBOISES

GAUFRES AUX FIGUES

PANCAKES À LA SALADE D'AGRUMES

BEIGNETS À L'ANANAS

CRÈMES AU CHOCOLAT

TUILES AUX AMANDES
ET À L'ORANGE

PARFAIT CHOCO-CAFÉ

DESSERTS PROPULSÉS

CRÈMES BRÛLÉES AU THÉ

ingrédients

20 cl	de lait entier
30 cl	de crème liquide entière
5	jaunes d'œufs
50 g	de sucre en poudre
2	sachets de thé (Earl Grey, Darjeeling…)
4 c. à s.	de sucre roux

1. Préchauffer le four à 100 °C (th. 2).

2. Faire chauffer le lait jusqu'à ce qu'il frémisse. Ajouter le thé, remuer et laisser infuser au moins 5 min, hors du feu. Retirer ensuite les sachets de thé.

3. Verser dans le bol du blender les jaunes d'œufs, le sucre en poudre, la crème et le lait. Verrouiller le couvercle et faire fonctionner l'appareil à la vitesse 3 pour obtenir un mélange homogène.

4. Répartir la crème dans 4 plats à œufs. Mettre au four et laisser cuire pendant environ 1 h.

5. Sortir les crèmes du four, les laisser tiédir, puis les mettre au réfrigérateur et les laisser environ 6 h. Elles doivent être bien froides.

6. Au moment de servir, allumer le gril du four. Saupoudrer chaque crème de sucre roux, les glisser le plus près possible du gril et les laisser environ 2 min, le temps que le sucre fonde et caramélise. Servir sans attendre.

L'utilisation du thé au jasmin vous surprendra. Accompagner les crèmes brûlées d'une brioche comme un pain perdu à la cassonade.

PETITES CRÈMES
À LA FÈVE TONKA

ingrédients	
50 cl	de lait
1	fève tonka
4	œufs
80 g	de sucre roux
50 g	de sucre en poudre

1. Verser le lait dans une casserole. Râper la fève au-dessus du lait. Porter à ébullition. Retirer la casserole du feu et laisser infuser jusqu'à refroidissement.

2. Préchauffer le four à 180 °C (th. 6).

3. Filtrer le lait froid. Casser les œufs un par un dans le bol du blender. Ajouter le sucre roux. Verrouiller le couvercle. Faire fonctionner l'appareil à la vitesse 3. Verser le lait par l'orifice du couvercle et passer à la vitesse 4, jusqu'à ce que les ingrédients soient bien mélangés.

4. Verser la crème dans des ramequins. Les poser dans la plaque creuse du four avec de l'eau chaude (mais non bouillante) à mi-hauteur et faire cuire pendant 30 min environ. Vérifier la cuisson : tremper la lame d'un couteau, elle doit ressortir sèche quand la crème est prise. Laisser refroidir, puis entreposer les crèmes au réfrigérateur pendant au moins 1 h.

5. Pendant ce temps, verser le sucre en poudre dans une petite casserole avec 3 cuillerées à soupe d'eau. Faire cuire jusqu'à l'obtention d'un caramel doré. Verser ce caramel sur du papier sulfurisé, en faisant des volutes. Laisser sécher puis retirer délicatement.

6. Au moment de servir, déposer les volutes de caramel sur les crèmes.

La fève tonka peut être remplacée par 6 étoiles de badiane (anis étoilé).

Longue d'environ 35 mm et un peu moins épaisse qu'une noix de muscade, la fève tonka (famille des légumineuses) a une saveur proche de celle de l'amande douce. Elle est vendue chez les grainetiers et dans les épiceries fines.

CRÊPES PARFUMÉES

ingrédients	
200 g	de farine de blé
2	œufs
50 cl	de lait
50 g	de beurre + **50 g** environ pour la cuisson
1 c. à s.	d'eau de fleur d'oranger ou 1/2 c. à c. de vanille liquide
	sucre pour saupoudrer

1. Faire fondre 50 g de beurre à feu très doux, puis le laisser refroidir.

2. Casser les œufs dans une tasse et les verser dans le bol du blender. Ajouter le lait, le beurre fondu, l'eau de fleur d'oranger ou la vanille. Verrouiller le couvercle. Faire fonctionner l'appareil à la vitesse 4 pendant quelques secondes.

3. Verser la farine par le goulot, tout en faisant fonctionner l'appareil à la vitesse 3. Vider la pâte dans un saladier, couvrir et laisser reposer au moins 30 min.

4. Faire fondre du beurre pour la cuisson des crêpes. Faire chauffer une poêle d'environ 20 cm de diamètre. La beurrer avec un pinceau. Remuer la pâte. Verser une louche de pâte dans la poêle, remuer la poêle pour étaler la pâte uniformément et laisser cuire 1 min à feu plutôt vif. Retourner la crêpe et faire cuire la seconde face également 1 min. Faire glisser la crêpe sur une assiette tenue au chaud.

5. Faire cuire le reste des crêpes de la même façon, en beurrant la poêle avant chaque nouvelle cuisson.

6. Lorsque toutes les crêpes sont cuites, les plier en quatre, les saupoudrer légèrement de sucre et servir sans attendre.

Varier la saveur des crêpes en utilisant d'autres arômes alimentaires pour parfumer la pâte (amande, pistache, orange, etc.).

DESSERTS PROPULSÉS

CLAFOUTIS AUX FRAMBOISES

ingrédients

400 g	de framboises
60 g	de Maïzena
190 g	de sucre en poudre
2 sachets	de sucre vanillé
2	œufs + 2 jaunes
25 cl	de crème liquide
25 cl	de lait
30 g	de beurre
1 pincée	de sel

1. Préchauffer le four à 200 °C (th. 7). Beurrer un plat en terre avec 30 g de beurre. Le saupoudrer avec 40 g de sucre en poudre. Disposer les framboises dedans.

2. Verser les œufs entiers et les jaunes dans le bol du blender. Verrouiller le couvercle et faire fonctionner l'appareil à la vitesse 3.

3. Ajouter la Maïzena, 150 g de sucre en poudre, le sucre vanillé et le sel par l'orifice du couvercle et faire fonctionner à la même vitesse. Verser ensuite la crème et le lait, passer à la vitesse 4 pour obtenir une pâte fluide.

4. Verser doucement la préparation sur les framboises. Mettre au four et laisser cuire de 35 à 40 min. Laisser tiédir avant de servir.

DESSERTS PROPULSÉS

GAUFRES AUX FIGUES

ingrédients

Pour la pâte

3	œufs entiers
300 g	de farine
1/2 sachet	de levure chimique
2 sachets	de sucre vanillé
50 cl	de lait
1 pincée	de sel

Pour la garniture

8	figues violettes
20 g	de beurre
10 cl	de crème de cassis
20 g	de beurre

1. Préparer la pâte : casser les œufs dans une tasse, les verser dans le bol du blender. Ajouter le lait, le sucre et le sel. Verrouiller le couvercle. Mettre l'appareil en marche à la vitesse 4. Après quelques secondes, verser la farine et la levure par l'orifice du couvercle et continuer à faire fonctionner l'appareil jusqu'à l'obtention d'un mélange homogène et onctueux.

2. Faire fondre le beurre. En enduire légèrement le gaufrier à l'aide d'un pinceau. Faire chauffer le gaufrier. Verser un peu de pâte dedans et faire dorer de 3 à 4 min. Retirer la gaufre et faire cuire le reste de la pâte de la même manière.

3. Pendant la cuisson des gaufres, laver les figues, ôter la queue, puis couper les fruits en deux ou en quatre. Faire chauffer le beurre avec la crème de cassis dans une grande poêle. Y déposer les figues et les laisser cuire 5 min à feu vif, en les retournant délicatement.

4. Déposer une gaufre dans chaque assiette, répartir les figues au cassis dessus et servir immédiatement.

Les figues peuvent être remplacées par des poires.

PANCAKES À LA SALADE D'AGRUMES

ingrédients

Pour la pâte

250 g	de farine à levure incorporée
80 g	de sucre en poudre
2	œufs
30 cl	de lait
20 g	de beurre

Pour la salade d'agrumes

2	citrons verts
4	oranges
2	pamplemousses roses
1 gousse	de vanille ou 1 c. à c. d'arôme vanille
2 c. à s.	de miel liquide

1. Préparer la pâte : casser les œufs dans une tasse, les verser dans le bol du blender. Verser le sucre et le lait. Verrouiller le couvercle. Mettre l'appareil en marche à la vitesse 4. Après quelques secondes, verser la farine par l'orifice du couvercle et continuer à faire fonctionner le blender à la vitesse 3 jusqu'à ce que le mélange soit onctueux. Laisser reposer cette pâte 15 min.

2. Faire cuire les pancakes : beurrer légèrement une petite poêle et la faire chauffer. Remuer la pâte, en verser une petite louche dans la poêle et laisser cuire 1 min par face. Retirer le pancake et faire cuire le reste de la pâte de la même manière, en beurrant légèrement la poêle avant chaque cuisson. Garder les pancakes au chaud dans le four à température très douce.

3. Rincer 1 orange et 1 citron sous l'eau courante, les essuyer, prélever leur zeste en fines lanières avec un couteau zesteur. Peler tous les agrumes à vif (en entamant la pulpe). Retirer les quartiers en passant un couteau bien aiguisé entre les membranes blanches et la pulpe, en travaillant au-dessus d'un saladier pour recueillir le jus qui s'écoule pendant l'opération.

4. Rincer le bol du blender. Verser dedans le jus des agrumes recueilli, le miel, les graines contenues dans la gousse de vanille ou la vanille liquide. Verrouiller le couvercle et faire fonctionner l'appareil à la vitesse 4 pour bien mélanger. Verser ce jus sur les quartiers d'agrumes et décorer avec les zestes.

5. Servir les pancakes tièdes avec la salade d'agrumes.

BEIGNETS À L'ANANAS

ingrédients

1	ananas
125 g	de farine
1	œuf
15 cl	de lait
1 c. à s.	d'huile
1 pincée	de sel
	huile de friture
	sucre glace

1. Casser l'œuf et le verser dans le bol du blender avec le lait, l'huile et le sel. Verrouiller le couvercle. Faire fonctionner l'appareil à la vitesse 4 pendant quelques secondes pour mélanger les ingrédients. Verser la farine par l'orifice du couvercle tout en faisant fonctionner l'appareil à la vitesse 3 pour obtenir une pâte lisse et enrobante. Laisser reposer la pâte 1 h au frais.

2. Couper la base et le plumet de l'ananas, retirer la peau du fruit et ôter soigneusement tous les « yeux » avec la pointe d'un couteau économe. Couper l'ananas en tranches fines d'environ 0,5 cm. Ôter la partie centrale dure avec un vide-pomme.

3. Faire chauffer l'huile de friture à 180 °C. Remuer la pâte à beignets. Tremper les tranches d'ananas dans la pâte une à une avec une fourchette, laisser égoutter le surplus de pâte quelques secondes, déposer les tranches au fur et à mesure dans l'huile chaude et laisser dorer pendant environ 3 min. Retourner les tranches à mi-cuisson.

4. Égoutter les beignets sur du papier absorbant, les disposer sur un plat, poudrer de sucre glace et servir sans attendre.

Préparer une marmelade d'ananas épicée, cardamome - piment rouge - miel - gingembre, pour tremper vos beignets.

CRÈMES AU CHOCOLAT

200 g	de chocolat noir à 60 % de cacao
50 cl	de lait
5	jaunes d'œufs + 1 œuf
2 c. à s.	de crème fraîche épaisse
50 g	de sucre en poudre
1 boîte	de Mikado (biscuits)

1. Préchauffer le four à 180 °C (th. 6). Préparer un bain-marie.

2. Hacher le chocolat à l'aide d'un grand couteau. Faire chauffer le lait et jeter le chocolat dedans.

3. Mettre les jaunes d'œufs et l'œuf entier dans le bol du blender. Ajouter le sucre. Verrouiller le couvercle et faire fonctionner l'appareil quelques secondes à la vitesse 3. Verser la crème, puis le lait chocolaté par l'orifice du couvercle et passer à la vitesse 4 pour obtenir un mélange homogène.

4. Répartir la préparation dans des ramequins ou des verres supportant la chaleur. Les déposer dans le bain-marie et laisser cuire environ 30 min au four.

5. Laisser refroidir les crèmes, puis les placer au réfrigérateur. Les laisser au moins 1 h.

6. Au moment de servir, décorer avec des biscuits Mikado.

TUILES AUX AMANDES
ET À L'ORANGE

ingrédients	
125 g	d'amandes effilées
1	orange
125 g	de farine
150 g	de sucre en poudre
1 sachet	de sucre vanillé
70 g	de beurre
3	blancs d'œufs
1 pincée	de sel

1. Préchauffer le four à 180 °C (th. 6). Tapisser une plaque de papier sulfurisé. Faire fondre le beurre. Laver l'orange, l'essuyer et râper finement son zeste.

2. Verser le beurre fondu dans le bol du blender. Ajouter le sucre en poudre, le sucre vanillé et la farine. Verrouiller le couvercle et faire fonctionner l'appareil à la vitesse 3, jusqu'à l'obtention d'un mélange homogène. Verser dans un saladier.

3. Ajouter 1 pincée de sel aux blancs d'œufs et les monter en neige pas trop ferme.

4. Incorporer délicatement le zeste d'orange, les amandes et les blancs d'œufs à la préparation, avec une cuillère en bois.

5. Déposer des petits tas de pâte de la grosseur d'une noix sur la plaque, en les espaçant. Les aplatir avec le dos de la cuillère humide. Mettre au four et laisser cuire environ 10 min.

6. Dès que les tuiles sont légèrement dorées, sortir la plaque du four, décoller les tuiles délicatement à l'aide d'une spatule et les poser sur un rouleau à pâtisserie ou une bouteille vide pour qu'elles prennent leur forme. Laisser refroidir.

Conserver les tuiles au sec, dans une boîte hermétique.

PARFAIT CHOCO-CAFÉ

ingrédients

200 g	de chocolat noir à 60 % de cacao
40 cl	de crème liquide entière
3	jaunes d'œufs
1 petite	tasse de café fort (5 cl)
	copeaux de chocolat

1. Mettre au congélateur une jatte et les fouets d'un batteur. Hacher finement le chocolat avec un grand couteau. Faire bouillir 20 cl de crème et la verser sur le chocolat haché. Mélanger doucement avec une spatule.

2. Mettre les jaunes d'œufs dans le bol du blender. Verrouiller le couvercle et faire fonctionner l'appareil quelques secondes à la vitesse 3.

3. Verser le café par l'orifice du couvercle, puis la crème au chocolat tiède. Passer à la vitesse 4 pour obtenir un mélange homogène. Vider le bol dans un saladier.

4. Verser le reste de la crème dans la jatte refroidie et la fouetter jusqu'à ce qu'elle soit ferme. L'incorporer délicatement au contenu du saladier.

5. Répartir le parfait dans de petits moules individuels ou le verser dans un moule à cake. Laisser au moins 4 h au congélateur.

6. Pour servir, démouler les parfaits sur les assiettes et garnir de copeaux de chocolat.

Servir une sauce chocolat/cardamome tiède pour un contraste chaud/froid.

**Un grand merci à toutes celles et tous ceux qui ont collaboré avec enthousiasme
à la réalisation de ce premier livre Krups Cook Book...**

… aux équipes du Groupe SEB et plus particulièrement à Laetitia Ducout,

… à Françoise Nicol pour ses nouvelles photos gourmandes,

… à Catherine Madani pour ses délicieuses idées de recettes et leur mise en scène toujours attirante,

… à Elisa Vergne qui avec talent a adapté et rendu accessible à tous les 50 recettes de cet ouvrage,

… à Anne Chaponnay, pour ses mises en page harmonieuses,

…à Fréderic Vardon, grand garant de l'esprit Spoon, pour sa créativité culinaire et ses conseils Spoon Spirit.

Nous remercions également les sociétés

La chaise longue pp.18, 48
Montgolfier pp. 20, 24, 116
Conran shop pp. 20, 24, 50
Jars chez la maison de brune p.22
La maison de brune pp. 26, 30, 34, 28, 58
Quartz pp. 30, 106
Sentou pp. 32, 40, 114, 102
Deshoulières p.34
Asa p.108
Itinéraires p.48
A. thurpault p.44
Porcelaine virebent pp. 66, 72, 86
CFOC p.72

qui ont gracieusement prêté leurs assiettes, couverts…

Direction de collection

Hélène Picaud et Emmanuel Jirou-Najou

Photographies : Françoise Nicol (sauf : photo du Robot sur la couverture : Open Studio Photo ; p.9 : Félix Création)
Illustrations : Felix Création
Création graphique et PAO : Anne Chaponnay
Secrétariat de rédaction : Isabelle Cappelli

Photogravure Maury Imprimeur

Imprimé en France
Dépôt légal 1er trimestre 2006
ISBN : 2-84123-101-1

Lec-Les Editions Culinaires
84, avenue Victor Cresson   92441 Issy-les-Moulineaux cedex
tél. 01 58 00 21 95 – lecedition@wanadoo.fr